图书在版编目（CIP）数据

圣诞联欢会：图表 / 纸上魔方著 . — 长春：北方
妇女儿童出版社，2014.4 （2020.5 重印）
（我超喜爱的趣味数学故事书）
ISBN 978-7-5385-8176-8

Ⅰ.①圣… Ⅱ.①纸… Ⅲ.①数学－儿童读物 Ⅳ.
① O1-49

中国版本图书馆 CIP 数据核字 (2014) 第 049768 号

编委会

任叶立　徐硕文　徐蕊蕊　余　庆　李佳佳　陈　成　尉迟明姗

圣诞联欢会·图表
SHENGDAN LIANHUANHUI · TUBIAO

出 版 人　刘　刚
策 划 人　师晓晖
责任编辑　曲长军
插画绘制　纸上魔方
开　　本　889mm×1194mm　1/16
印　　张　2.5
字　　数　20 千字
版　　次　2014 年 4 月第 1 版
印　　次　2020 年 5 月第 2 次印刷
印　　刷　长春市彩聚印务有限责任公司
出　　版　北方妇女儿童出版社
发　　行　北方妇女儿童出版社
地　　址　长春市龙腾国际出版大厦
电　　话　总编办：0431-81629600　　发行科：0431-81629633

定　　价　19.80 元

数学就是这样有趣

　　数学有什么用？为什么学数学？对于许多小朋友来说，数学不仅是一门比较吃力的功课，枯燥、乏味的运算更让孩子心生畏惧。而数学原本就是一门来源于生活的科学。孩子们日常生活中的小细节、小故事，都蕴藏着丰富的数学知识，只要你稍加留心，就会发现无处不在的数学规律。

　　《我超喜爱的趣味数学故事书》正是抓住了这一规律，通过讲故事、做游戏，激发起孩子学习数学的兴趣。把抽象枯燥的数学知识，转化成看得见、用得到的生活常识，让孩子们通过故事与漫画，更加直观而轻松地认识数学、爱上数学。全书更重在培养孩子解决问题的思考方法，提高孩子逻辑思维能力和综合素质。

与此同时，编者还巧妙地将数学知识穿插在故事当中，这些入门知识的反复出现，更有利于孩子们加深记忆，掌握学习数学的技巧。

更值得一提的是，这套《我超喜爱的趣味数学故事书》还真正为父母们提供了一个和孩子共同学习的机会。在每一本分册的末尾，都有编者精心设计的互动园地。在这一板块中，父母可以更直观地看到书中所讲述的知识点，了解孩子的学习进度，结合实际应用，帮助孩子们进一步理解数学的意义，掌握数学知识。

相信这套《我超喜爱的趣味数学故事书》，一定会让孩子们认识到数学之美，轻轻松松爱上数学，学好数学！

由于编者水平有限，这套书中一定还有不足之处，敬请广大读者不吝赐教，为我们提出宝贵意见。

"莫尔斯！"一脸期待地坐在教室里的莫尔斯，终于听到了老师念出自己的名字，"这次的圣诞联欢会就交给你了！"

同学们纷纷向莫尔斯表示祝贺，莫尔斯自己也很开心，可是，意想不到的状况却发生了。

"莫尔斯，我不想唱歌，不要给我安排唱歌的节目啊。"

第二天，莫尔斯刚刚走进教室，同学辛迪就冲着他大喊。

"莫尔斯，我只想帮助大家准备食物。"

"莫尔斯，钢琴伴奏可以交给我，但是装饰房间我可不行。"

一整天，每个同学都会追着
莫尔斯讲圣诞联欢会的事情。

"哦，天啊，为什么准备一个圣诞联欢会这么麻烦呢，我以为很简单的。"回到家里，莫尔斯难过地对爸爸说。

"好了莫尔斯，先别急着灰心丧气，来吧，我们来做一个表格，这样你就不会觉得毫无头绪了。"贝克先生说。

"这要怎么做？"莫尔斯还是提不起精神来。

"这样，你今晚先好好想一想，筹备圣诞联欢会都需要准备什么，然后把它们写下来，明天我再告诉你接下来怎么做。"贝克先生说。

"好吧，那我去试试看。"莫尔斯还是有些闷闷不乐地回到了自己的卧室。

"我都需要准备什么呢？排练节目？哦不，得有房间才能排练节目，对，第一项，我要去向老师借用报告厅，然后就是排练节目，需要有合唱、舞蹈、话剧，还要……"莫尔斯一边自言自语，一边依次写下了自己要做的事情：预定教室、合唱、舞蹈、伴奏，准备服装道具，装饰房间，准备食物。

"爸爸，接下来该怎么做？"莫尔斯拿着自己的表格跑去找爸爸。

"明天，你的同学们想要为联欢会做什么事情，你就写进你的图表里，到时候，你自己就明白了！"

难得冬天里能有这么暖和的太阳，莫尔斯早早地来到了学校。
"莫尔斯，谁来申请报告厅？"
"我们的合唱需要钢琴伴奏！"

"当然是我去申请，等等，别着急，一个一个来。"莫尔斯说完，忽然觉得眼前一亮。他翻出了昨天的表格，在申请报告厅下面写上了自己的名字，又在舞蹈和合唱两栏下面分别写上了辛迪和格蕾的名字。

"接下来，有谁愿意负责钢琴伴奏？"莫尔斯问。

"大概没人比我更合适了！"安德鲁骄傲地说。

"唐克斯，你可以帮大家装饰教室吧？"莫尔斯问。

"可以，不过得先有个教室！"唐克斯说。

"放心，我这就去申请教室。"

很快地，莫尔斯把同学的名字对照着昨天列出来的工作写进了表格里，填好了自己手里的图表。

"伙计们，看看这里，就知道自己该做些什么了。我们还有3个星期的时间，得抓紧了！"莫尔斯把自己画好的表格贴在了墙上。

15

"一切都会很顺利的！"又是一天清晨，莫尔斯高高兴兴地向学校跑去，没想到刚刚踏进教室，莫尔斯就看到格蕾和辛迪在为谁先在报告厅排练而争吵。

更糟糕的是，伊森老师也走了过来生气地说："莫尔斯，你们不能现在就开始装饰房间啊。明天这里还有手工展览，快恢复原样！"

MERRY CHRISTMAS

"够了够了！为什么你们不能仔细看看这张表格再做事情呢？"莫尔斯心烦意乱，觉得自己都要爆炸了。

"可这上面并没有写明白，我们什么时候可以开始做自己的事情啊！"唐克斯说。

"好吧，看来我还得想想办法！"
莫尔斯仔细看了看表格，也觉得自己
的表格确实有点问题。"可是这个表格
里究竟缺少点什么呢？"

"嗨，莫尔斯，如果你的表格像课程表一样，我想大家就不会吵架了。"德拉科对莫尔斯说。

"课程表？"莫尔斯很快想起了贴在教室里的表格。

对啦，那张表格上，从周一到周五，从早上到下午，什么时间在做什么都写得清清楚楚。我想我也可以把自己的表格修改一下。莫尔斯想了想终于笑了。他说："谢谢你，德拉科，我知道该怎么办了。"

课程表

"辛迪，这周末之前，帮你们舞队准备好服装可以吗？"

"虽然有点晚，不过也还行吧。"

"好吧，我还得去问问伊森老师，什么时候教室没有其他的安排。"

忙了一整天，到晚上快放学的时候，莫尔斯终于整理出来了头绪。接着，他用红颜色的笔在表格里标出了每一项工作开始和结束的时间。

"格蕾，我想从现在开始，每周一、周三，我们可以在报告厅练习舞蹈。"辛迪指着莫尔斯的表格说。

"是啊，我们练习合唱就安排在周二和周四，这样安德鲁也会来帮忙的！"格蕾也凑过去查看那张表格。

"我们的圣诞联欢会是在 23 日的晚上开始，我可以到 20 日的时候再准备食物了！哦不，道具和服装要从下周开始准备。"汉娜说。

"23 日下午的时候，再去装饰房间，我想应该来得及的。"唐克斯觉得自己也看懂了表格。

"莫尔斯，这一次你的图表应该不会再给我们大家带来麻烦了吧？"安德鲁也凑了过来。

"我也希望是这样！"莫尔斯说。

一周、两周、三周，大家按照莫尔斯写在表格上的安排各自忙碌着，总算相安无事。

"好吧，我想今天的联欢会应该会顺利的。"起床后，莫尔斯看看桌上的日历，没错，今天就是 23 日。

请制作一张自己新学期的课程表

图 表

关于制作表格的常识